HUMOUR NOIR

LES BLAGUES CULTE

MARABOUT

Un homme se rend chez le garagiste :
– Bonjour ! Pouvez-vous réparer ma roue ?
– Bien sûr ! Comment avez-vous fait pour crever la roue de cette manière ?
– J'ai roulé sur une bouteille.
– Vous ne l'aviez pas vue ?
– Non, le mec l'avait dans sa poche.

C'est le 1er avril et le petit Lucas veut faire une blague à sa mère.
Il court à la cuisine et crie :
– Maman, Maman,
Papa s'est pendu dans le salon !
Affolée, la mère va dans le salon. Rien.
La mère est soulagée.
Tout content, le petit lui dit :
– Poisson d'avril !!!!!
Il s'est pendu dans la cave !

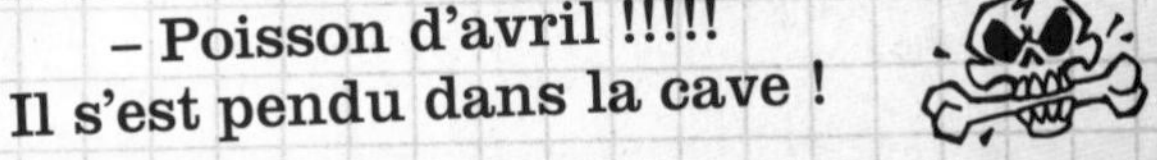

Un homme a essayé de se suicider par pendaison.
Sauvé in extremis, il regrette son acte. Il va donc trouver le curé du village pour se confesser :

– Pardonnez-moi mon Père car j'ai péché.

– Qu'as-tu fait mon fils ?

– J'ai essayé de me suicider...

Après une longue discussion, le curé lui dit :

– Mon fils, lis la bible et tu retrouveras le goût de vivre.

Il rentre chez lui, ouvre sa bible au hasard et lit :
« Va et repens-toi. »

Pourquoi Jésus n'a-t-il pas joué lors du match Bethléem-Jérusalem ?
– Parce qu'il était suspendu.

À 2 ans, le succès, c'est de ne pas faire dans sa culotte.
À 3 ans, le succès, c'est d'avoir des dents.
À 12 ans, le succès, c'est d'avoir des amis.
À 18 ans, le succès, c'est d'avoir son permis de conduire.
À 20 ans, le succès, c'est de bien faire l'amour.
À 35 ans, le succès, c'est d'avoir de l'argent.
À 50 ans, le succès, c'est d'avoir encore de l'argent.
À 60 ans, le succès, c'est de faire encore l'amour.
À 70 ans, le succès, c'est d'avoir encore son permis de conduire.
À 75 ans, le succès, c'est d'avoir encore des amis.
À 80 ans, le succès, c'est d'avoir encore des dents.
À 85 ans, le succès, c'est de ne pas faire dans sa culotte.

Qu'est-ce qui est noir, blanc, noir, blanc, noir, blanc ?
– Une bonne sœur qui tombe dans les escaliers.

Un paysan appelle son médecin en pleine nuit.
Sa femme est en train d'accoucher et l'hôpital est trop loin,
ils n'auront pas le temps de s'y rendre. Le médecin arrive
et demande au fermier de rester sur le palier.
La porte s'ouvre et le médecin demande :
– Vous n'auriez pas une pince ?
L'homme part chercher une pince et la donne au médecin.
Cinq minutes plus tard, la porte s'ouvre :
– Vous n'auriez pas un gros tournevis ?
L'homme commence à s'inquiéter. Il part chercher
le tournevis et lui donne. Quelques minutes après :
– Un pied de biche ?
En panique, l'homme demande au médecin :
– Docteur, est-ce qu'il y a des complications ?
– La mère et le bébé vont très bien mais je n'arrive pas
à ouvrir ma trousse !

Qu'est-ce qu'un bossu sans bras et sans jambes ?
– Une madeleine !

Suite au naufrage de leur bateau en plein océan, deux hommes attendent les secours dans leur canot de sauvetage. Cela fait plusieurs semaines et ils sont en train de mourir de faim.
Un matin, un des deux hommes prend son canif et se met à couper la jambe de l'autre.
Celui-ci se met à hurler :
– Ahhhh !!!!
– Oh, ça va, tais-toi ! Toi aussi t'en auras une part !

Dans un cimetière, un homme apporte des fleurs sur la tombe de sa mère.
À côté de lui, un autre type jette du riz sur celle de ses parents. Interloqué, il lui demande :
– Pourquoi faites-vous ça ? Vous pensez vraiment qu'ils vont pouvoir les manger ?
– Et vous, vous pensez vraiment qu'elle va pouvoir les sentir ?

Un homme vient d'apprendre qu'il est en phase terminale d'un cancer. Dévasté, il rejoint son fils dans la salle d'attente et lui annonce la nouvelle. Ils décident d'aller noyer leur chagrin au bar. C'est alors qu'ils rencontrent deux copains de beuverie du père :

– Tiens Henri, comment vas-tu ?

– Pas très bien... Je viens d'apprendre que j'avais le SIDA.

Une fois les copains partis, le fils est interloqué et demande à son père :

– Tu m'as dit que t'avais un cancer, pas le SIDA !

– J'ai bien un cancer mais je ne veux pas qu'il touche à ta mère quand je serai mort !

Une vieille dame demande à sa petite fille :

– Comment il s'appelle déjà ce type qui me rend complètement dingue ?

– Alzheimer, mamie...

Une femme d'une soixantaine d'années victime d'une crise cardiaque est sur la table d'opération d'un hôpital. En mort clinique pendant quelques secondes, elle voit Dieu et lui demande :

– Est-ce que mon heure a sonné ?

Dieu lui répond :

– Non, pas encore. Il te reste encore de belles années devant toi !

À son réveil, elle décide de profiter de son hospitalisation pour faire quelques ajustements esthétiques. Elle se fait faire un lifting, refaire le nez, gonfler les seins, augmenter son tour de poitrine, et demande une liposuccion. Après sa dernière opération, elle sort de l'hôpital traverse la rue et se fait frapper par un bus.

Arrivée au paradis, elle est très énervée et demande à Dieu :

– Vous m'avez menti ! Vous m'aviez dit que j'avais encore du temps devant moi. Pourquoi n'avoir pas empêché ce bus de m'écraser ?

Dieu lui répond :

– Oh, mince ! Je ne vous avais pas reconnue, c'est pour ça !

– Maman, les autres enfants se moquent de moi. C'est vrai que j'ai une grande bouche ?

– Mais non, prends ta pelle et mange ta soupe !

Après la corrida, Georges a un petit creux et va donc manger
dans un petit restaurant du coin. Il commande son menu
et voit dans l'assiette de son voisin deux grosses boules.
Intrigué, il demande au serveur :
– Qu'est-ce que c'est ?
Le serveur lui répond que ce sont des roubignoles.
– Mince, ça a l'air bon, j'en prendrai la prochaine fois !
Quelques jours plus tard, il revient et commande des roubignoles.
Le serveur revient avec deux petites boules. Surpris, le client demande :
– Je ne comprends pas, la dernière fois que je suis venu
la personne qui était à côté de moi avait les mêmes mais
en dix fois plus grosses.
Alors le serveur répond :
– Monsieur, dans l'arène, ce n'est pas toujours
le même qui gagne !

Un sanglier rencontre un cochon et lui dit :
– Alors, comment se passe ta chimio ?

Il est deux heures du matin, deux policiers patrouillent dans un parc. L'un d'eux aperçoit un truc sur le sol. C'est une tête d'homme coupée ! Il la soulève par les cheveux et demande à son coéquipier :

– Hé, cette tête me rappelle quelqu'un... Ce ne serait pas Jef le dealer ?

– Pff n'importe quoi, Jef est bien plus grand !

Un plongeur explore les fonds marins. Il est à 10 mètres de profondeur lorsqu'il aperçoit un homme en apnée qui lui fait signe. Le plongeur descend à 20 mètres mais l'autre type le rejoint et lui fait encore signe. Agacé, le plongeur descend encore et à 30 mètres, il retrouve le même type. Franchement énervé, il écrit sur son écriteau :

– Qu'est-ce que tu veux ?

L'autre lui prend l'écriteau des mains :

– Je me noie, connard !

Un homme est sur son lit de mort.
Son fils est à son chevet. Soudain,
il sent une délicieuse odeur de tarte
venant de la cuisine.

– Mmm... Est-ce que tu peux aller me chercher
un morceau de tarte, fiston ?

– Bien sûr, papa !

Le fils se rend à la cuisine, puis revient
vers son père les mains vides :

– Maman dit que la tarte,
c'est pour après l'enterrement...

Pourquoi les hérissons
traversent-ils la route ?

– Pour nous montrer
ce qu'ils ont dans le ventre !

Un camionneur plutôt costaud boit une bière dans un bar quand un homme tout maigrichon entre et demande à qui appartient le pitbull devant le bar.
Le camionneur se lève :
– C'est mon chien ! T'as un problème ?
– Je crois que mon chien vient de le tuer…
– Quoi ?! Mais comment est-ce possible ? Vous avez quoi comme chien ?
– Un caniche nain.
– Un caniche ?! La bonne blague ! Comment un caniche peut tuer un pitbull ?
– Je crois qu'il s'est étouffé avec…

**Un homme doit se faire opérer.
Il est inquiet et interroge son chirurgien :
– C'est vrai que cette opération ne réussit qu'une fois sur cent ?
– Oui, répond le médecin, mais vous avez de la chance les 99 patients précédents sont morts…**

En se promenant, un homme trouve une lampe magique.
Il frotte la lampe et un génie apparaît.
Le génie lui dit qu'il a droit à trois vœux
mais le met en garde : à chaque vœu,
sa femme aura beaucoup plus que lui.
– Quel est ton premier vœu ?
– Je voudrais être un grand golfeur !
Bam, il devient le plus grand golfeur
du pays, mais comme le génie l'avait prédit,
son épouse devient la meilleure joueuse du monde.
L'homme est énervé...
– Quel est ton second vœu ?
– Je voudrais être très riche !
Bam, il devient l'homme le plus riche du pays,
mais sa femme devient par la même occasion
la plus riche du monde.
– Réfléchis bien, quel est ton troisième
et dernier vœu ?
– Je voudrais une petite crise cardiaque...

– Allô ?
– Bonjour ma puce, c'est papa ! Tu peux me passer maman ?
– Je ne peux pas, elle est à l'étage dans la chambre avec oncle Joe.
Grand silence dans le combiné.
– Mais ma chérie, tu n'as pas d'oncle Joe !
– Si, si, il est dans la chambre avec maman !
– Je vois... Bon, tu vas poser le téléphone, courir à l'étage et crier à maman et oncle Joe que la voiture de papa vient de rentrer dans le garage. OK ?
– OK, papa !
Quelques secondes plus tard, la petite fille reprend le téléphone :
– C'est bon !
– Qu'est-ce qui s'est passé ?
– Maman a crié, elle s'est mise à courir partout, elle a glissé sur le tapis et je crois qu'elle est morte.
– Oh mon Dieu ! Et oncle Joe ?
– Il a crié aussi et s'est agité dans tous les sens. Et puis, il a sauté par la fenêtre et a atterri dans la piscine. Il a sans doute oublié qu'il l'avait vidée il y a quelques jours. Je crois bien que lui aussi est mort.
Silence dans le combiné.
– La piscine ? Oups, je crois que je me suis trompé de numéro !

Un adolescent rend visite à sa grand-mère à la maison de retraite. Tout en parlant avec elle, il n'arrête pas de grignoter des cacahuètes qui se trouvent sur la table. Au moment de partir, il remercie sa grand-mère :
– Merci pour les cacahuètes, Mamie !
– Oh ! Tu peux en manger autant que tu veux mon petit ! À mon âge, je ne peux que sucer le chocolat qu'il y a autour !

Deux petits garçons sonnent à la porte d'un camarade de classe. La mère ouvre.
– Bonjour Madame, est-ce que Lucas peut venir jouer au foot avec nous ?
– Mais ce n'est pas possible, vous savez bien que Lucas n'a pas de bras et pas de jambes !
– Oui on sait... mais on a perdu notre ballon !

**Un nouveau commerce vient d'ouvrir :
un magasin de trompettes et de fusils. Interloqué,
un ami du commerçant lui demande :
– C'est un drôle de commerce que tu tiens !
Je peux te poser une petite question ?
Je suis curieux.
– Bien sûr !
– Est-ce que tu vends plus de trompettes
ou plus de fusils ?
– Quasiment le même nombre ! À chaque fois
qu'un client m'achète une trompette,
un de ses voisins vient m'acheter un fusil.**

Suite à une grosse rafale de vent,
un parachutiste ne peut pas atterrir
à l'endroit prévu, il s'écrase sur le capot
d'une voiture roulant sur l'autoroute. Choquée,
la conductrice de la voiture dit à son mari :
– Pff, ces auto-stoppeurs ne savent
plus quoi inventer, ils n'attendent même
plus qu'on soit à l'arrêt !

Après examen, un médecin dit à son patient :
– Je suis désolé, j'ai une mauvaise
et une bonne nouvelle à vous annoncer…
– Bon… Commencez par la mauvaise…
– Vous avez la maladie d'Alzheimer !
– Oh mon Dieu, c'est affreux !
Et quelle est la bonne nouvelle ?
– Vous allez rentrer chez vous
et vous n'y penserez plus !

Une secrétaire est hospitalisée
depuis une semaine.
Une de ses collègues lui rend visite.
– Comment ça va au bureau ?
Vous avez pu me remplacer ?
– Oh tout le monde a pris en charge
un peu de ton travail : Sylvie fait le café,
Sophie lit des magazines et Géraldine
couche avec le patron.

Une femme vient de perdre son mari.
À la chambre funéraire, elle dit en sanglotant au croque-mort :
– Son rêve aurait été d'être enterré en smoking
mais nous sommes trop pauvres pour en acheter un...
Émus, les employés des pompes funèbres décident de lui offrir
un costume. Le lendemain, elle retrouve son époux vêtu
d'un superbe smoking.
– Ah mon Dieu ! Vous êtes adorables !
Combien je vous dois, Messieurs ?
– Rien du tout ! Un client vient de mourir d'une crise cardiaque
en sortant d'un gala de charité.
– Mais ça a dû vous donner beaucoup de travail !
– Oh, pas tant que ça ! On a juste échangé les têtes !

Pourquoi, lors d'un naufrage,
crie-t-on : « Les femmes
et les enfants d'abord ! » ?
– Parce qu'après, les requins
n'ont plus faim.

Un homme complètement soûl
se rend dans une fête foraine. Il s'arrête à un stand de tir,
se saisit d'une carabine, tire en plein dans le mille.
Il décroche un lot : une petite tortue vivante.
Dix minutes plus tard, il retourne au même stand,
encore plus soûl. Il frappe encore en plein milieu de la cible :
– Cette fois, vous avez gagné une cafetière, Monsieur !
– Oh non ! Donnez-moi plutôt le même sandwich
que tout à l'heure !

Un homme se penche du haut de la Tour Eiffel et demande au responsable de la maintenance :
– Les gens se jettent-ils souvent d'en haut ?
– Oh, non ! Généralement, ils ne sautent qu'une seule fois, Monsieur !

Une petite fille arrive en classe en pleurant.
La maîtresse lui demande :
– Ben alors ? Qu'est-ce qui se passe Emma ?
– Hier ma maman,
elle a noyé les petits chatons…
– Oh, c'est vrai que c'est très triste
mais il ne faut pas pleurer comme ça !
Ce n'est pas grave…
– Si, elle avait promis
que ce serait moi qui le ferai !

**C'est la finale de la Coupe du monde de rugby,
le stade est bondé. Un des supporters remarque qu'il y a
une place vide. Étonné, il demande au type à côté de lui
pourquoi il a une place en trop. C'est tout de même honteux
de laisser une place libre un jour de finale !
– C'était pour ma femme, elle adorait le rugby.
Elle est décédée il y a deux jours…
Le gars est embarrassé, il s'excuse autant qu'il peut,
mais il est tout de même intrigué :
– Et il n'y avait personne de la famille ou de vos amis
qui aurait pu prendre sa place et venir avec vous ?
– Ben si, mais ils sont tous à l'enterrement !**

Un chauffeur de car vient d'être chargé d'emmener un groupe de paraplégiques en excursion. Il fait monter les passagers et les installe. Il démarre et roule doucement pour ne pas prendre de risques. Mais très vite, ses passagers se mettent à chanter :

– Chauffeur, si t'es champion, appuie, appuie...

Amusé, le chauffeur appuie sur le champignon.

Quelques minutes plus tard, les paraplégiques se remettent à chanter :

– Chauffeur, si t'es champion, appuie, appuie...

Le chauffeur accélère encore un peu plus. Quelques minutes plus tard, les passagers se remettent à chanter :

– Chauffeur, si t'es champion, appuie, appuie...

Il accélère plus fort et bam, il se prend de plein fouet un arbre !

Alors les passagers se mettent à chanter en chœur :

– Il est des nôôôôtres...

Pourquoi prescrit-on des bains de boue aux personnes âgées ?

– Pour qu'ils s'habituent à la terre...

Pour la préparation de son mariage,
un jeune homme rend visite au curé.
Celui-ci lui explique que lorsqu'on se marie,
il est d'usage de donner un peu d'argent à la paroisse.
– D'accord, mon Père, mais combien faut-il donner ?
– Selon la tradition, plus la mariée est jolie,
plus la somme est élevée.
Le jeune marié sort alors un billet
de 10 euros de sa poche ainsi qu'une photo
de sa fiancée. Le prêtre la regarde et lui dit :
– Bien, je vais vous rendre la monnaie !

**En rentrant de l'école, le petit Jean
est soucieux. Il demande à sa mère :
– Maman, est-ce que c'est vrai
que quand on meurt,
on redevient poussière ?
– Oui, c'est vrai...
– Eh bien, je crois qu'il y a
un cimetière sous mon lit...**

Un cannibale prend l'avion
pour la première fois. Pour le déjeuner,
l'hôtesse lui demande ce qu'il veut manger.
– Pourriez-vous m'apporter la liste
des passagers, s'il vous plaît ?

Comment font les habitants
de Tchernobyl pour compter
jusqu'à 25 ?
– Sur leurs doigts.

Les Sept Nains vont voir le Pape :
– Ma Sainteté, Simplet a quelque chose à vous demander !
– Je t'écoute, Simplet.
– Est-ce qu'au pôle Nord, il y a des bonnes sœurs ?
– Oui, au pôle Nord, il y a des bonnes sœurs.
– Est-ce qu'au pôle Nord, il y a des bonnes sœurs noires ?
– Oui, au pôle nord, il y a des bonnes sœurs noires.
– Est-ce qu'au pôle Nord, il y a des bonnes sœurs noires et naines ?
– Euh... Non, je ne crois pas, Simplet.
Les six autres nains se mettent alors à rire et à chanter :
– Simplet s'est tapé un pingouin !
Simplet s'est tapé un pingouin !

Comment fait un chirurgien pour opérer sans anesthésie ?
– Il met des boules Quiès.

Une femme se recueille sur la tombe de son père lorsqu'un drôle de cortège funèbre arrive au cimetière. Il y a deux corbillards, une femme seule avec un chien qui les suit et quelques mètres derrière une centaine de femmes en file indienne. Intriguée, elle s'approche discrètement de la femme au chien et l'interroge :

– Je suis vraiment désolée de vous déranger mais tout cela m'intrigue... Vous enterrez qui ?

– Mon mari...

– Oh, je suis désolée... Que lui est-il arrivé ?

– Mon chien l'a attaqué et l'a tué.

– Et qui est dans le second corbillard ?

– Ma belle-mère. Elle a essayé d'aider mon mari et le chien l'a attaquée à son tour.

Long moment de silence entre les deux femmes.

– Est-ce que je pourrais vous emprunter votre chien ?

– Faites la queue...

Quelle est la différence entre un meurtrier et un homme qui vient de faire l'amour ?
– Aucune. Tous les deux ne savent pas comment se débarrasser du corps.

Un homme retourne voir son médecin
après avoir passé des analyses.
– Monsieur, j'ai une mauvaise nouvelle
et une très mauvaise nouvelle à vous annoncer.
– Ah... Bon, commencez par la mauvaise.
– J'ai reçu vos résultats d'analyse :
il ne vous reste plus que 24 heures à vivre.
– Mon Dieu mais c'est horrible !
Et vous avez pire comme nouvelle ?
– Oui, j'essaie de vous joindre depuis hier...

Une jeune maman téléphone à son pédiatre :
– Docteur, la dernière fois que je suis venue,
vous m'avez bien dit : « Quand votre bébé
a fini son biberon, lavez-le à l'eau bouillante
et nettoyez l'intérieur avec un goupillon » ?
– Oui, tout à fait. Quel est le problème ?
– Ben mon bébé ne supporte pas du tout
ce traitement !

Un papa va coucher sa petite fille de trois ans.
Il lui raconte une histoire et écoute sa prière du soir :
– Mon Dieu, protège ma maman, protège mon papa,
protège ma grand-mère et au revoir grand-père.
– Pourquoi dis-tu au revoir grand-père ?
– Je ne sais pas, papa…
Le lendemain, le grand-père meurt. Le père est étonné mais pense
à une coïncidence. Quelques mois plus tard, le père couche sa fille :
– Mon Dieu, protège ma maman, protège mon papa
et au revoir grand-mère.
Le lendemain, la grand-mère meurt. Le père est abasourdi,
il est persuadé que sa fille a un don de voyance.
Quelques semaines plus tard, il lui raconte une histoire et la petite dit :
– Mon Dieu, protège ma maman et au revoir papa.
Choqué, l'homme ne dort pas de la nuit. Il passe sa journée
au bureau à scruter l'heure. À minuit il est toujours vivant
et décide de rentrer à la maison. Sa femme est étonnée :
– C'est bien la première fois que tu rentres si tard du travail.
Qu'est-ce qui se passe ?
– Rien… Juste une mauvaise journée.
– M'en parle pas, ce matin le facteur est tombé raide mort
devant notre porte !

Un père cuisine du lapin pour le dîner. Pour ne pas effrayer ses enfants qui ont un lapin domestique, il ne leur dit pas ce qu'il a cuisiné. Ils commencent à manger et sa fille aînée lui demande :

– C'est super bon, papa ! Qu'est-ce que c'est ?

– Devine ! Je peux juste te dire que ta maman m'appelle souvent comme ça...

La petite fille se met alors à crier à son petit frère :

– Arrête de manger ! C'est du trou du cul !

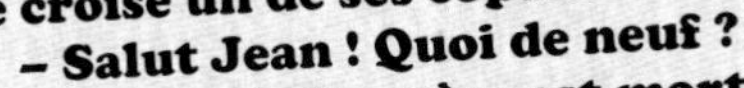

Un type croise un de ses copains dans la rue :

– Salut Jean ! Quoi de neuf ?

– Ben, ma belle-mère est morte la semaine dernière...

– Merde ! Qu'est-ce qu'elle avait ?

– Pas grand-chose : une commode, quelques tableaux...

Deux chasseurs traquent le sanglier en forêt lorsque l'un des deux s'effondre brutalement. Probablement victime d'une crise cardiaque, il a cessé de respirer. L'autre chasseur est en panique, il appelle le SAMU :
– Mon ami est mort ! Qu'est-ce que je dois faire ?
L'urgentiste essaie de le calmer :
– Ne paniquez pas, je vais vous aider à distance. Tout d'abord, il faut vous assurer qu'il est bien mort.
Quelques secondes de silence, puis un coup de feu. Le chasseur reprend le téléphone :
– C'est fait ! Et maintenant ?

Qu'est-ce qu'un squelette dans une armoire ?
– Quelqu'un qui a gagné une partie de cache-cache !

Un type arrive aux urgences à la suite d'un accident de voiture. Quand il se réveille, le chirurgien est à son chevet et lui dit :
– J'ai une mauvaise nouvelle et une bonne nouvelle à vous annoncer.
– Bon, commencez par la mauvaise…
– On a dû vous amputer des deux jambes.
– Oh mon Dieu… Et la bonne ?
– J'adore vos chaussures, je vous les rachète 100 euros !

Un homme est accusé de meurtre. Le juge l'interroge :
– De quelle manière avez-vous tué votre belle-mère ?
– Eh bien, j'ai pris mon téléphone et j'ai frappé jusqu'à ce qu'elle ne réagisse plus.
– Quel était votre mobile ?
– Un motorola…

Un homme complètement déprimé
entre dans un bar.
Le barman lui demande :
– Eh ben, vous n'avez pas l'air en forme.
Qu'est-ce qui ne va pas ?
– Rien ne va ! Ma femme m'a quitté
pour mon meilleur ami et ma boîte a fait faillite.
– Mon pauvre ! Tiens, reprends donc un verre !
– Ce n'est pas tout ! Cet après-midi,
alors que je revenais de l'enterrement
d'un de mes fils, j'ai perdu le contrôle
de ma voiture et causé un énorme accident
qui a fait une dizaine de morts.
– Toi, t'as vraiment la poisse !
– Tu l'as dit ! Comme si ce n'était pas assez,
quand je suis rentré chez moi, ma maison avait brûlé.
– Eh ben ! Il n'y a pas eu quelque chose
de positif dans ta journée ?
– Si, mon test du VIH.

**Quel est le point commun entre
un cornichon et un corbillard ?
– Ils accompagnent tous les deux
de la viande froide !**

Un groupe de politiciens se rend à un congrès.
Une minute d'inattention de la part du conducteur
et le car quitte la route et s'écrase violemment contre un arbre
dans le pré d'un vieil agriculteur. Le paysan se rend sur les lieux
de l'accident et décide de creuser un trou pour les enterrer.
Quelques jours après, en passant sur cette même route,
un gendarme aperçoit le véhicule écrasé et interroge l'agriculteur :
– Où sont passées les victimes de cet accident, Monsieur ?
– Ben, quelle question ! Je les ai enterrés !
– Étiez-vous certain qu'ils étaient tous morts ?
– Oh, certains disaient qu'ils n'étaient pas morts mais vous savez
comment sont les politiciens : tous des menteurs !

**Un mendiant fait la manche à un feu rouge.
Une Mercedes s'arrête, le mendiant frappe
à la vitre et crie au chauffeur :
– J'ai faim !!!
Le conducteur regarde
sa Rolex et lui répond :
– Normal, il est midi !**

Un père, divorcé depuis une dizaine d'années,
dit à sa fille qui vient d'avoir 18 ans :
– Louise, voici le dernier chèque de pension alimentaire
pour ta mère. Précise-lui bien que c'est le dernier
et regarde sa tête, ça risque d'être drôle !
La jeune fille va chez sa mère et lui donne le chèque.
La mère, le sourire aux lèvres, dit à sa fille :
– Va voir ton père et dis-lui merci de ma part.
Ah, et dis-lui aussi qu'il n'est pas ton père.
À ce moment-là, regarde bien sa tête !

Son mari a plus de deux heures de retard,
Huguette est très nerveuse et en parle
à sa meilleure amie au téléphone :
– Je suis sûre qu'il voit une autre femme !
– Pourquoi tu envisages toujours le pire ?
Peut-être qu'il a simplement eu un accident.

Raymonde est partie quelques jours en vacances.
Elle téléphone à son mari, resté à la maison :
– Est-ce que tout va bien ? Comment va le chat ?
– Il est mort.
– Oh mon Dieu ! Tu pourrais m'annoncer ça avec plus de délicatesse... Tu aurais pu commencer par me dire qu'il se promenait sur le bord du balcon.
Et ma mère, comment va-t-elle ?
– Elle se promenait sur le bord du balcon...

Pourquoi les poètes refusent-ils de se faire incinérer ?
– Ils ont peur de ne plus pouvoir faire de vers après leur mort.

Deux petites mamies se croisent dans la rue :
– Comment vas-tu Huguette ?
– Oh, pas très bien… Mon mari est mort.
– Ah bon ?! Je suis désolée… Que s'est-il passé ?
– Je lui ai demandé d'aller chercher des carottes et des poireaux dans le jardin pour faire de la soupe. Il a fait une crise cardiaque. Quand les secours sont arrivés, il était déjà mort.
– Mince ! Qu'est-ce que tu as fait alors ?
– Des pâtes.

Que signifie « PF » sur corbillards alsaciens ?
– Pon Foyage !

Paniquée, une mère appelle le SAMU :
– Allô docteur ! Je suis très inquiète, mon fils vient de boire un litre d'essence et il court partout !
Le médecin la rassure :
– Oh, ne vous inquiétez pas, il tombera bientôt en panne...

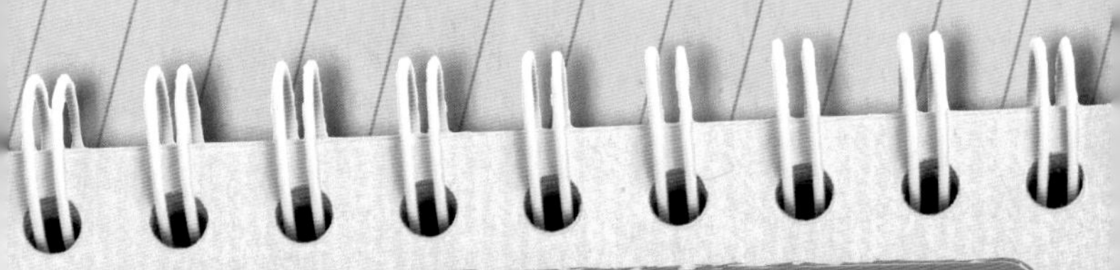

Une femme retourne voir son médecin :
– Docteur, je suis très inquiète.
Votre diagnostic n'est pas le même que celui de votre confrère.
– Je sais. C'est toujours comme ça... mais l'autopsie prouvera que j'avais raison.

Un homme est jugé pour meurtre et cannibalisme sur sa femme. Le juge lui demande :
– Vous n'avez rien ressenti, lorsque vous avez coupé votre femme en morceaux avant de la cuire ?
– Si ! À un moment, j'ai pleuré...
– Ah quand même, vous me rassurez ! À quel moment ?
– Quand j'ai coupé les oignons.

Quelle est la différence entre le chocolat et une belle-mère ?
– Le chocolat constipe et la belle-mère fait chier.

Un homme revient d'une partie de chasse dans la jungle et raconte à son copain :
– J'ai tué cinq éléphants, trois lions, deux panthères et six pânou-pânou.
Interloqué, son copain lui demande :
– C'est quoi des « pânou-pânou » ?
– Je ne sais pas trop mais il y en avait plein, ils criaient tous : « Pas nous ! Pas nous ! »

**Un condamné à mort est conduit dans la salle d'exécution.
Il voit la chaise électrique et demande, paniqué :
– Qu'est-ce qui va se passer ?
– Assieds-toi, je vais te mettre au courant..., lui répond le bourreau.**

Très malade, un homme attend les résultats de ses examens médicaux. Le médecin le fait entrer dans son bureau et lui annonce qu'il a une maladie incurable. Ne voulant pas baisser les bras, le patient demande :

– Est-ce qu'il y a quelque chose que je peux faire ?

– Vous n'avez qu'à faire des bains de boue.

– Est-ce que ça pourrait me guérir ?

– Non, pas du tout... mais ça vous habituera à la terre !

Au tribunal, un homme est condamné à vingt-cinq ans de prison.

– Mais, Monsieur le Juge, j'ai déjà quatre-vingt-cinq ans !

– Ne vous inquiétez pas, Monsieur, vous ferez ce que vous pourrez !

Agressé en pleine rue, un homme se prend un coup de couteau dans le ventre. Il s'écroule et agonise lorsqu'il aperçoit une pharmacie ouverte. Il parvient à se redresser et à se traîner jusqu'à la porte, ouvre et dit :

– Monsieur, aidez-moi, je viens de prendre un coup de couteau dans le ventre... Je crois que je vais mourir...

Le pharmacien le regarde :

– Je suis désolé, nous fermons à 19h et il est 19h !

Outré, le blessé le supplie :

– Vous ne pouvez pas me laisser comme ça ! Je vais mourir ! Je vous en prie, aidez-moi !

Le pharmacien fait le tour du comptoir, extrait le couteau du ventre de l'homme et le lui plante sauvagement dans l'œil :

– Vous devriez aller chez l'opticien en face, il est ouvert jusqu'à 19h30.

Quelle est la différence entre un SDF et un milliardaire ?
– Le milliardaire change de Ferrari tous les jours alors que le clochard change de porche tous les soirs.

Un client entre dans une librairie :
– Bonjour, je voudrais un livre qui s'appelle : *Comment devenir riche rapidement*.
Le libraire s'éloigne et revient avec deux livres.
– J'en veux seulement un !
– Je sais bien, dit le libraire. L'autre, c'est le *code pénal*. Je le vends toujours avec.

Une femme rentre chez elle, elle est énervée et dit à son mari :
– Il faut renvoyer le chauffeur, c'est la deuxième fois qu'il essaie de me tuer !
– Oh, laisse-lui encore une chance !

Un aveugle et son chien entrent dans un magasin. Il se met dans l'allée principale, empoigne la laisse de son chien et le fait tournoyer autour de lui !
Interloquée, la vendeuse lui demande :
– Je peux vous renseigner ?
– Non, merci ! Je jette juste un petit coup d'œil !

Une jeune femme snob passe devant un mendiant. Il lui dit :
– Madame, je n'ai pas mangé depuis deux jours.
– Mon Dieu, comme j'aimerais avoir votre volonté !

Un homme n'arrête pas de se vanter
d'avoir la plus belle des femmes.
Ses copains commencent à en avoir assez
et demandent à vérifier. Quand il la leur présente
enfin, ils constatent qu'elle
a un œil plus haut que l'autre,
le teint verdâtre, un nez disproportionné
et la bouche de travers.
En voyant l'étonnement
de ses copains, l'homme précise :
– Ah ben bien sûr, si vous n'aimez pas Picasso…

Pour Noël, un aveugle a reçu une râpe à fromage. Après avoir longuement passé ses doigts dessus, il fond en larmes et dit :
– Je n'ai jamais lu une histoire aussi triste…

Le passager d'un taxi voudrait un renseignement, il se penche vers l'avant et tapote l'épaule du chauffeur. Celui-ci pousse un cri d'horreur et perd le contrôle du véhicule. Le chauffeur s'arrête en hâte et dit à son client d'une voix tremblante :
– Vous m'avez vraiment fait peur !
– Mais je vous ai à peine touché !
– Oui mais c'est ma première course en taxi. Avant, je conduisais un corbillard...

Un jeune homme est jugé pour le meurtre de ses parents. Le juge lui demande :
– Qu'avez-vous à dire pour votre défense ?
– Vous n'allez quand même pas condamner un pauvre orphelin ?!

RIP

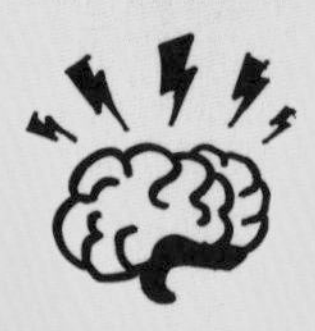

Un mendiant sonne à une porte.
Un homme ouvre :
– Excusez-moi de vous déranger.
J'ai vraiment très faim...
Vous n'auriez pas quelque chose à me donner ?
– Est-ce que vous aimez la soupe de la veille ?
– Bien sûr !
– OK, ben repassez demain !

Deux hommes discutent :
– Ma belle-mère est un ange.
– T'as de la chance, la mienne est encore en vie !

C'est la rentrée des classes.
Pendant la récréation, un petit cannibale est assis tout seul dans son coin.
La maîtresse va le voir et lui demande :
– Que se passe-t-il ? Pourquoi tu ne joues pas avec les autres enfants ?
Le petit cannibale lui répond :
– Mes parents m'ont interdit de jouer avec la nourriture...

Un homme dit à sa femme :
– À ma mort, je veux être incinéré.
– Ça ne m'étonne pas de toi !
Il faut toujours que tu laisses des cendres partout !

Las des remarques de son gendre, une belle-mère lui dit :
– Vous me ferez mourir de chagrin...
– Tant mieux !
Comme ça, on ne retrouvera jamais l'arme du crime !

Deux hommes discutent :
– Dis, tu crois à la vie après la mort ?
– Non, je n'y crois pas. Pourquoi ? Toi, oui ?
– Ben... Je n'y croyais pas non plus mais je dois dire que depuis que ma belle-mère est morte, je revis !

Dans une distillerie écossaise, un employé arrive en courant dans le bureau du directeur. Il se met à crier :
– Patron, venez tout de suite ! Oliver est tombé dans la grande cuve de whisky !
– Oh mon Dieu ! Est-ce qu'il est mort ?
– Oui, Monsieur... Mais il a quand même pris le temps de ressortir trois fois pour aller chercher des olives et des cacahuètes.

Deux hommes jouent au golf sur un terrain qui se trouve juste à côté du cimetière. Ils aperçoivent un corbillard passer et l'un des deux hommes enlève sa casquette et baisse la tête en silence.
Étonné, l'autre lui demande :
– Je ne te savais pas si sensible. Est-ce que tu fais ça à chaque fois que tu vois passer un corbillard ?
– Non, pas du tout. Mais là c'est exceptionnel, ça faisait quand même 30 ans qu'on était mariés...

On enterre un ancien coureur cycliste. Le corbillard arrive en haut d'une longue côte qui mène au cimetière. Dans le cortège, un coureur dit à un autre :
– Tiens, quelle ironie ! C'est la première fois qu'il passe en tête !
– Oui, surtout après crevaison !

Pourquoi les croque-morts adorent-ils les matchs de basket ?
– Parce qu'il y a beaucoup de temps morts.

Un peintre se rend dans la galerie où sont exposées ses œuvres. Le responsable lui explique :
– Bon, j'ai une bonne et une mauvaise nouvelle à t'annoncer. La bonne nouvelle, c'est qu'un homme est venu l'autre jour pour faire évaluer tous tes tableaux. Il voulait savoir si tes toiles prendraient de la valeur après ta mort…
– Et ?
– Je lui ai répondu que oui, que les prix de tes œuvres doubleraient probablement après ta mort… Il a alors tenu à acheter tous les tableaux exposés ici.
– C'est super ! Je suis riche ! Et quelle est la mauvaise nouvelle ?
– Ben… Cet acheteur, c'est ton médecin…

Pour l'enterrement d'une jeune femme, le mari et l'amant se retrouvent devant la mise en terre. L'amant pleure à chaudes larmes. Le mari le rassure :
– Ne soyez pas si triste, je me remarierai sans doute !

Un homme, souffrant d'une horrible douleur à la poitrine, se rend chez le médecin. Après de longues minutes d'examen, le médecin lui dit :
– Je suis désolé, j'ai de très mauvaises nouvelles... Vous êtes en train de mourir.
– Mon Dieu ! Il me reste combien de temps à vivre ?
– Dix.
– Dix ? Dix quoi ? 10 mois ? 10 semaines ? 10 jours ?
– 10... 9... 8... 7...

Le cardiologue de l'hôpital entre en courant dans la morgue et crie :
– Ressortez tout de suite le n°5 de son tiroir ! Ce n'est pas son pouls qui s'est arrêté, c'est ma montre !

Un couple fait les courses :
– Chéri, c'est l'anniversaire de ma mère demain. On lui pourrait lui offrir un appareil électrique, qu'en penses-tu ?
– C'est une super idée ! Que penses-tu d'une chaise ?

Que fait un soldat serbe dans une étable ?
– Il cause au veau (Kosovo).

**Un homme tombe dans la rivière.
Paniqué, il se met à crier :
– Au secours, je me noie,
je ne sais pas nager !
Un promeneur l'aperçoit et lui dit :
– Eh bien ! C'est une super occasion
pour apprendre !**

**Quel bout de la corde envoie-t-on
à un huissier en train de se noyer ?
– Les deux !**

Un petit garçon qui vient de perdre
son grand-père dit à son institutrice :
– Je voudrais mourir comme mon grand-père,
il n'a pas souffert, il est mort pendant son sommeil.
C'est une belle mort, n'est-ce pas ?
Je ne voudrais surtout pas mourir en criant
de douleur comme ceux qui sont morts
en traversant devant sa voiture...

Que risque un pitbull
qui a mordu un enfant diabétique ?
– Des caries.

Deux alpinistes escaladent une montagne.
D'un coup, l'un des deux glisse et tombe dans un ravin.
– Comment vas-tu ? Tu as mal ?
– Noooooooooonnnnnnn...
– Tu as fait une sacrée chute, tu as l'air d'être tombé très bas. Tu es sûr ? Tu n'as pas mal ?
– Noooooonnnnnnn... J'ai pas encore atterri !!!

**Comment appelle-t-on une femme
qui sait tous les soirs
où se trouve son mari ?
– Une veuve !**

Édité par Hachette Livre (43, quai de Grenelle - 75905 Paris Cedex 15)
Imprimé en Espagne par Cayfosa pour le compte des éditions Marabout
Dépôt légal : Avril 2013
ISBN : 978-2-501-08660-8
41.3084.5
Édition 01